はじめに

平成 27（2015）年4月1日に食品表示法が施行され、原則として、あらかじめ包装されたすべての一般用加工食品および一般用添加物については、容器包装に栄養成分表示が義務づけられました。消費者が栄養成分表示を見て上手に商品を選ぶことで、日々の必要な栄養摂取および食生活管理による健康の維持・増進に役立つことをふまえ、食品関連事業者の皆さんには、適切な栄養成分表示の実施が求められています。

本書は一般用加工食品を製造、加工、輸入、販売される食品関連事業者のために、一般用加工食品についての栄養成分表示の基本をわかりやすく解説しています。適切な栄養成分表示を実施するために、ぜひ本書をお役立てください。

栄養成分表示とは

① 健康の維持・増進に役立つ栄養成分表示

昔に比べ、現代は食品の種類が豊富にあります。また、外食や中食など食事のスタイルも多様になり、人びとは食べたいものがいつでも食べられるようになりました。

しかし、このような環境のなかであるからこそ、つい食べ過ぎてしまったり、栄養が偏った食事をして体調を崩してしまったり、生活習慣病にかかってしまう人びとも多くいます。そのため、健康意識が高まり、食品の栄養成分や熱量に関心をもつ人も増えました。

そこで、平成 27（2015）年 4 月 1 日に食品表示法の施行とともに、栄養成分表示が義務化され、食品に含まれる栄養成分や熱量に関する情報を、消費者が気軽に確認できるようになりました。消費者が栄養成分表示を見て、上手に食品を選び、必要な栄養を十分に摂取することができれば、健康の維持・増進に役立ちます。

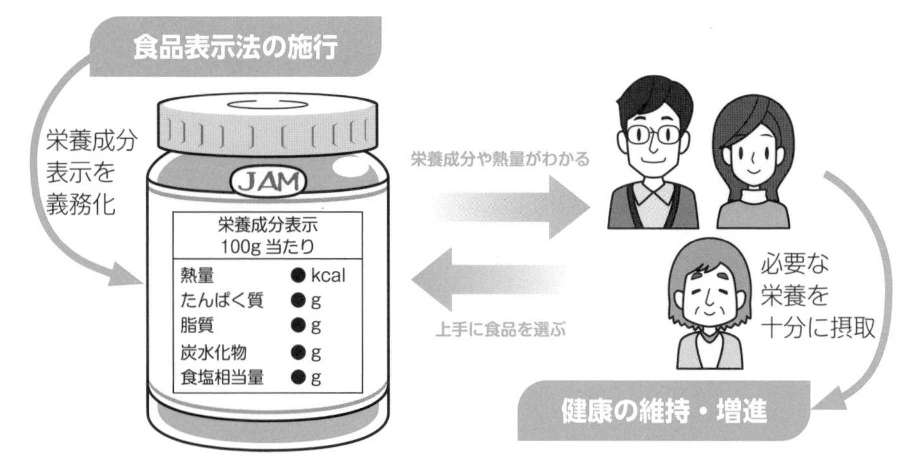

② 栄養成分表示の対象食品

食品の具体的な表示事項や表示方法等のルールについては食品表示基準に規定されています。食品表示基準は原則として、あらかじめ包装されたすべての加工食品、生鮮食品および添加物に適用されますが、栄養成分表示については表1のとおり、食品により義務または任意となります。

栄養成分表示が任意である生鮮食品や業務用加工食品および業務用添加物に栄養成分等を表示する場合、食品表示基準に基づいて表示する必要があります。

表1 栄養成分表示が義務または任意となる食品

	加工食品	生鮮食品	添加物
一般用	義務	任意	義務
業務用	任意	任意	任意

③ 栄養成分表示の対象成分

一般用加工食品および一般用添加物には、必ず「熱量、たんぱく質、脂質、炭水化物およびナトリウム（食塩相当量に換算したもの）」（以下、「義務5項目」とする）の表示が義務づけられています（次頁表2）。義務5項目以外で、食品表示基準の別表第9（以下、「別表第〇」とする。〇は別表の該当数字）に掲げられた栄養成分は任意で表示することができます。

表2 義務、推奨、任意表示の栄養成分等

義務表示	熱量、たんぱく質、脂質、炭水化物およびナトリウム（食塩相当量に換算したもの）
推奨表示（任意表示）	飽和脂肪酸、食物繊維
任意表示	n-3系脂肪酸、n-6系脂肪酸、コレステロール、糖質、糖類（単糖類または二糖類であって、糖アルコールでないものに限る）、ナイアシン、パントテン酸、ビオチン、ビタミンA、ビタミンB_1、ビタミンB_2、ビタミンB_6、ビタミンB_{12}、ビタミンC、ビタミンD、ビタミンE、ビタミンK、葉酸、亜鉛、カリウム、カルシウム、クロム、セレン、鉄、銅、マグネシウム、マンガン、モリブデン、ヨウ素、リン

義務表示：栄養成分表示をする場合、必ず表示しなければならない5つの項目（義務5項目）。表1の栄養成分表示が任意となる食品に栄養成分表示をする場合も必ず義務5項目の表示が必要
推奨表示：義務表示ではないが、表示を積極的に推進するよう努めなければならない項目
任意表示：義務表示対象成分以外の表示対象となる項目

任意表示の栄養成分を容器包装に表示する場合、栄養成分表示枠内にも当該栄養成分の量を必ず表示する必要があります。

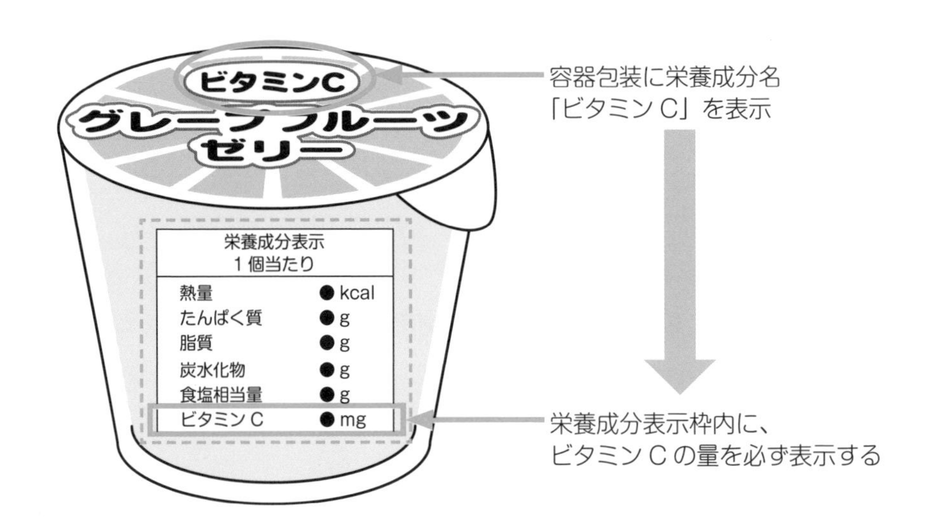

④ 栄養成分表示を省略できる または要しない食品

一般用加工食品には栄養成分表示が義務づけられていますが、省略できる、または表示を要しない食品があります。

栄養成分表示を省略できる食品

次のいずれかに該当する食品は栄養成分表示を省略することができます。ただし、栄養表示※1をしようとする場合、特定保健用食品および機能性表示食品は省略できません。

1) 容器包装の表示可能面積がおおむね30cm²以下であるもの
2) 酒類
3) 栄養の供給源としての寄与の程度が小さいもの
(コーヒー豆、ハーブ茶、茶葉やその抽出物等)
4) 極めて短い期間で原材料(その配合割合を含む)が変更されるもの
(日替わり弁当などレシピが3日以内で変更になるもの等)
5) 消費税法において消費税を納める義務が免除される事業者または、中小企業基本法に規定する小規模企業者※2が販売するもの

栄養成分表示を省略できても、可能なものはできるだけ表示しましょう。

※1 栄養成分もしくは熱量に関する表示および栄養成分の総称、その構成成分、前駆体その他これらを示唆する表現が含まれる表示

※2 おおむね常時使用する従業員の数が20人(商業またはサービス業に属する事業を主たる事業として営む者については5人)以下の事業者

小規模の事業者が製造した食品でも省略できない場合

5)のいずれかに該当する小規模の事業者が販売する食品は栄養成分表示を省略することができます。ただし、小規模の事業者が製造した食品でも、スーパー等販売する事業者が小規模の事業者でない場合は栄養成分表示が必要です。この場合、必ずしも製造者(小規模の事業者)が栄養成分表示をする必要はなく、販売者(スーパー等小規模ではない事業者)が表示してもかまいません。

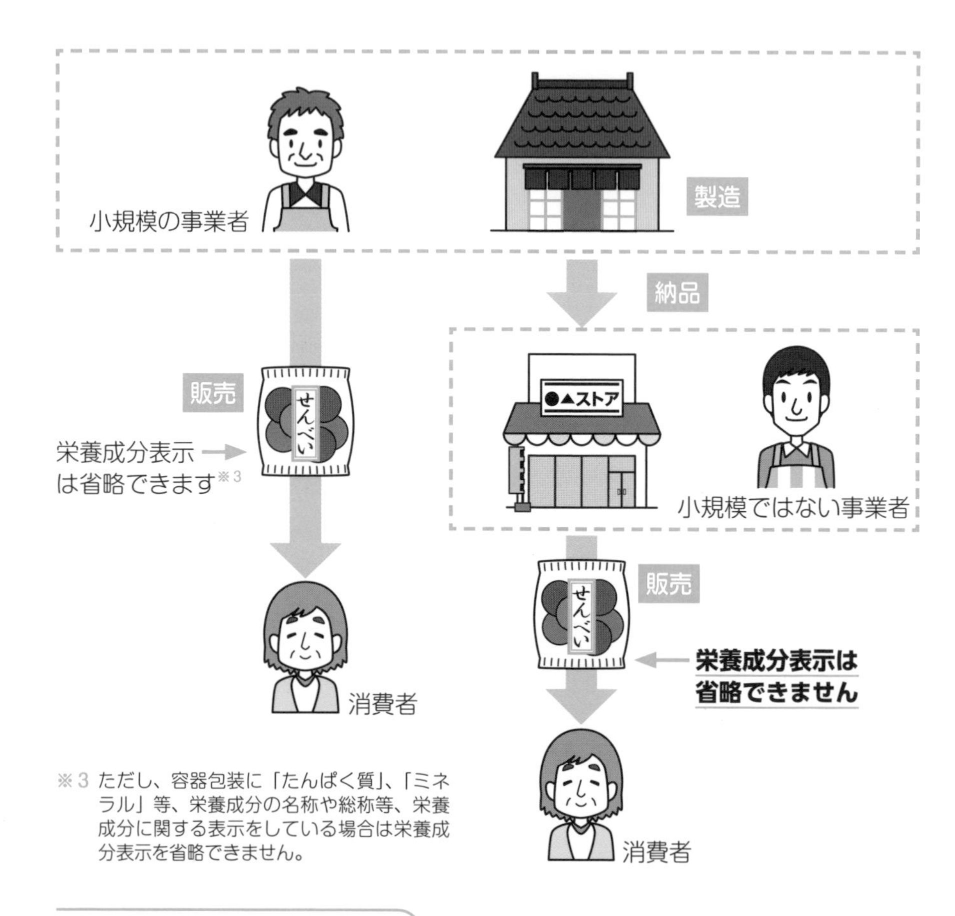

※3 ただし、容器包装に「たんぱく質」、「ミネラル」等、栄養成分の名称や総称等、栄養成分に関する表示をしている場合は栄養成分表示を省略できません。

栄養成分表示を要しない食品

次のいずれかに該当する食品は、栄養成分表示を要しません。ただし、栄養表示※1をしようとする場合は表示が必要です。

① 食品を製造し、または加工した場所で販売する場合

製造者と販売者が同一で、同一の施設内、または敷地内で製造販売することをいいます。具体的には洋菓子店、和菓子店等の「菓子小売業（製造小売)」や、パン店等の「パン小売業（製造小売)」等がその場で行う食品の製造販売、そう菜や刺し身盛り合わせ等をインストア加工し、その店内で販売する等が該当します。

② 不特定または多数の者に対して譲渡（販売を除く）する場合

表示方法

容器包装を開かないでも容易に見える場所に、食品表示基準の別記様式2または3により表示します。文字の大きさは8ポイント以上で表示します。表示可能面積がおおむね150cm^{2}以下の小さい場合、5.5ポイント以上の大きさで表示することができます。

義務5項目のみ表示する場合（別記様式2）

	栄養成分表示 食品単位当たり	
1	熱量	kcal
2	たんぱく質	g
3	脂質	g
4	炭水化物	g
5	食塩相当量	g

義務5項目以外の成分も表示する場合（別記様式3）

	栄養成分表示 食品単位当たり	
1	熱量	kcal
2	たんぱく質	g
3	脂質	g
	—飽和脂肪酸	g
	—n-3系脂肪酸	g
	—n-6系脂肪酸	g
	コレステロール	mg
4	炭水化物	g
	—糖質	g
	—糖類	g
	—食物繊維	g
5	食塩相当量	g
	上記以外の別表第9に掲げられた栄養成分	mgまたは、μg

必ず「栄養成分表示」と表示する

食品単位は、100g、100ml、1食分、1包装、その他の1単位のいずれかを表示する（1食分である場合は、1食分の量を併記して表示する）

糖質または食物繊維いずれかを表示しようとする場合は、糖質および食物繊維の量の両方を表示する。炭水化物の内訳として糖類のみの表示は可能

1-5までの義務5項目はこの順番で表示する

単位は別表第9第2欄に掲げられた単位を表示する

- 別表第9に定められた栄養成分以外の成分を表示したい場合、栄養成分表示と区別して近接した箇所に表示する
- 脂質や炭水化物の内訳を表示する場合、内訳とわかりやすい表示であれば「－（ハイフン）」を省略して差し支えない
- 枠を表示することが困難な場合、枠を省略できる
- 別記様式2または3での表示が困難な場合、分割した様式や横に並べた様式で表示できるほか、別記様式2または3と同等程度に見やすく一括して表示してあり、消費者にとってわかりやすいよう工夫した表示をすることも可能

1 名称および表示の単位

栄養成分名は別表第９第１欄に掲げる栄養成分名で表示しなければなりません。また、表示の単位は同表第２欄に掲げる単位で表示しなければなりません。ただし、次については表示可能です。

- 熱量：エネルギー
- たんぱく質：蛋白質、たん白質、タンパク質、たんぱく、タンパク
- ミネラル：元素記号
  （例）カルシウム→ Ca、鉄→ Fe、ナトリウム→ Na
- ビタミン：ビタミン名の略語
  （例）ビタミン A → V.A、VA
- kcal：キロカロリー、g：グラム、mg：ミリグラム、μg：マイクログラム
  （「IU」や「国際単位」は表示不可）

2 表示値の桁数

最小表示の位

栄養成分表示に表示する値は必ず表３の最小表示の位まで表示しなければなりません。

表３ 栄養成分の量および熱量の最小表示の位

最小表示の位	栄養成分名等
1の位	たんぱく質※1、脂質※1、飽和脂肪酸※1、コレステロール※1、炭水化物※1、糖質※1、糖類※1、食物繊維、カリウム、カルシウム、クロム、セレン、ナトリウム※1、マグネシウム、モリブデン、ヨウ素、リン、ナイアシン、ビオチン、ビタミン A、ビタミン C、ビタミン K、葉酸、熱量※1
小数第１位	n-3 系脂肪酸、n-6 系脂肪酸、亜鉛、鉄、銅、食塩相当量※2、マンガン、パントテン酸、ビタミン B_1、ビタミン B_2、ビタミン B_6、ビタミン B_{12}、ビタミン D、ビタミン E

なお、最小表示の位より下げて表示することも可能です。その場合は、その下の位を四捨五入して表示します。

0と表示することができる量

別表第9の第5欄に「0と表示することができる量」が定められている栄養成分等については、食品100g（飲用に供する液状の食品では100ml）当たり、該当する栄養成分等の量が「0と表示することができる量」未満の場合には「0」と表示することができます。

含有量が「0」の場合であっても表示事項の省略はできません。ただし、近接した複数の表示事項が「0」である場合、一括して表示ができます。

表示例）たんぱく質、脂質：0g

最小表示の位に満たない場合であって、「0と表示することができる量」以上ある場合

前頁表3の※1、※2の栄養成分等は、食品100g（飲用に供する液状の食品では100ml）当たりで「0と表示することができる量」以上ある場合、食品単位当たりの表示値において最小表示の位に満たない場合であっても、「0」と表示はできません。表示の位を下げ、有効数字1桁以上で表示してください。

※1　1の位に満たない場合であって、100g（飲用に供する液状の食品では100ml）当たり「0と表示することができる量」以上であるときは、有効数字1桁以上で表示します。

※2　小数第1位に満たない場合であって、ナトリウムの量が「0と表示することができる量」以上であるときは、有効数字1桁以上で表示します。なお、ナトリウムの量が「0と表示することができる量」未満である場合は、食塩相当量を「0」と表示することができます。その場合、食塩相当量を「0.0g」または「0g」と表示することもできます。

③ 表示方法の留意点

- 栄養成分表示は、販売される状態における可食部分の栄養成分の量および熱量を表示します。

- 水等を加えることによって、販売時と摂食時で重量に変化があるもの（粉末ジュース、粉末スープ等）も販売時の栄養成分の量および熱量で表示します。
- 調理により栄養成分の量が変化するもの（米、乾めん、塩抜きをする塩蔵品等）は、販売時の栄養成分の量に加えて、標準的な調理方法と調理後の栄養成分の量を併記することが望ましいとされています。

栄養成分表示 食品単位当たり		調理後 （標準的な調理法※で調理した場合）
熱量	● kcal	○ kcal
たんぱく質	● g	○ g
脂質	● g	○ g
炭水化物	● g	○ g
食塩相当量	● g	○ g

※標準的な調理法
＊＊＊＊＊＊＊＊＊＊＊＊＊＊＊＊＊＊＊＊＊＊＊＊＊＊＊＊＊＊＊＊

ナトリウムの量の表示ができる場合

ナトリウムの量は食塩相当量に換算し表示することが規定されています。

〈ナトリウムから食塩相当量への換算式〉

食塩相当量（g）＝ナトリウム（mg）× 2.54 ÷ 1000

ナトリウム塩（食塩など）を添加していない食品は、食塩相当量に加え、任意でナトリウムの量を表示することができます。ナトリウムの量を表示する場合、ナトリウムの量の次にカッコ書きで食塩相当量を表示します。

任意ルール
（ナトリウム塩を添加していない食品）

栄養成分表示 食品単位当たり	
熱量	● kcal
たんぱく質	● g
脂質	● g
炭水化物	● g
ナトリウム	● mg
（食塩相当量	● g）

複数の食品が同じ容器包装に入っている場合※

※ 1つの容器包装に入れられておらず、それぞれの容器包装が外装の容器包装等で完全に一体化されていない場合（テープで簡易的に留められている等）は、それぞれの容器包装にそれぞれの栄養成分表示をします。

① **通常一緒に食される食品がセットで同じ容器包装に入っている場合、合計の含有量を表示します。**

くずきり（黒蜜付き）

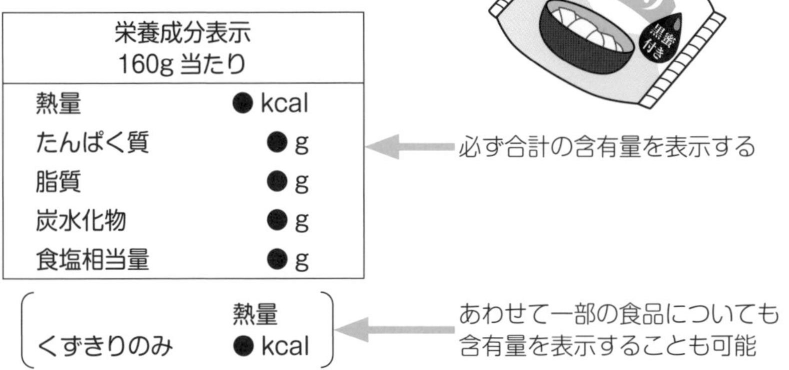

栄養成分表示 160g 当たり	
熱量	● kcal
たんぱく質	● g
脂質	● g
炭水化物	● g
食塩相当量	● g

（くずきりのみ　熱量 ● kcal）

② **それぞれ独立した食品を詰め合わせた場合、栄養成分および熱量の表示は原則、それぞれの食品ごとに外装に表示します。ただし、詰め合わせ品の一つひとつに表示があり、外装からその表示が見える場合、あらためて外装に表示する必要はありません。**

栄養成分表示	チョコレートケーキ（1個当たり）	レモンケーキ（1個当たり）
熱量	● kcal	● kcal
たんぱく質	● g	● g
脂質	● g	● g
炭水化物	● g	● g
食塩相当量	● g	● g

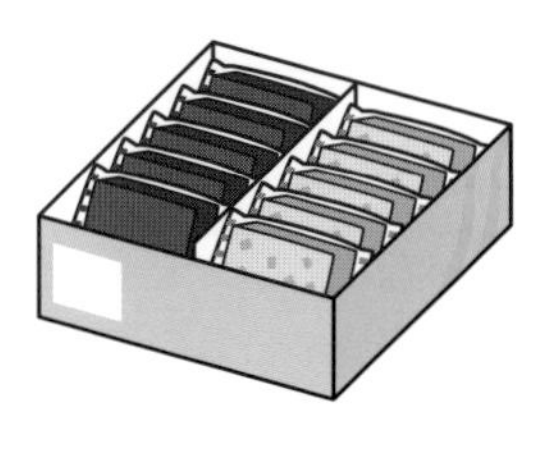

表示する値

1 表示値を求める方法

表示する値は分析や計算等によって得ます。

分析により表示値を得る場合

値の設定に用いる分析方法は、食品表示基準に規定される場合※1を除き、特段の定めはありません。ただし、あらかじめその妥当性を担保してください。

計算等により表示値を求める場合

データベース等の値を用いること、またはデータベース等から得られた個々の原材料の値を計算して表示値を求めることも可能です。データベース等の例としては、

- 日本食品標準成分表 2020 年版（八訂）※2
  https://www.mext.go.jp/a_menu/syokuhinseibun/mext_01110.html
  または、日本食品標準成分表を基にした食品成分データベース
  https://fooddb.mext.go.jp/
- 食品事業者団体が作成したデータベース
- 加工用原料製造者等による原料の栄養成分表示値

等があります。次頁に「計算等により表示値を求める場合」の具体例①・②を示します。

※1 たとえば、栄養強調表示（低カロリー、減塩等の表示）をする場合、強調された栄養成分等の値は別表第９第３欄に掲げる方法によって得ることとしています。

※2 日本食品標準成分表は、2020 年版（八訂）が公表されていますが、「追補」として分析した食品が毎年公表されています。

例① データベース等の値を用いる方法

日本食品標準成分表の値を用いる場合

① 日本食品標準成分表の「食パン」の原料配合割合等を確認し、当該食品と類似性が高いことを確認する

一般的な材料、製法で製造した食パン

② 表示する食品単位当たりに換算する

日本食品標準成分表で掲げられている食パンの熱量は、100g 当たり 260kcal

表示する食品単位を「1 枚(60g)当たり」とすると、

$$1\text{枚(60g)当たりの熱量(kcal)} = 260\,\text{kcal} \times \frac{60\text{g}}{100\text{g}}$$

1 枚(60g)当たりの熱量は156kcalとなる

例② データベース等から得られた個々の原材料の値から計算をして表示値を求める方法

おにぎり（梅）の熱量を計算する場合

① 製造レシピ(原材料の配合量(重量)、調理加工工程等）を決定する

② 原材料ごとに計算に引用するデータ（日本食品標準成分表の値や原材料メーカーから入手した値等）を用意する

③ 原材料の配合量当たりの栄養成分含有量を計算し、すべての原材料の含有量を合計する

①			②		③
原材料	配合量	配合量当たりの可食部の重量（g）	日本食品標準成分表の食品名	100g 当たりの熱量（kcal）	可食部当たりの熱量（kcal）
めし	100g	100	穀類 / こめ / ［水稲めし］/ 精白米 / うるち米	168	168
梅干し（調味漬）	1 個	10	果実類 / うめ / 梅干し / 調味漬	96	10
焼きのり	1/2 枚	1.5	藻類 / あまのり / 焼きのり	188	3
食塩	めしの重量の 0.5%	0.5	調味料及び香辛料類 /（食塩類）/ 食塩	0	0
					合計 181

④ 表示する食品単位当たりの栄養成分含有量を計算する

表示する食品単位を 1 個当たりとし、熱量以外の成分も同様に計算すると、右のような表示となる

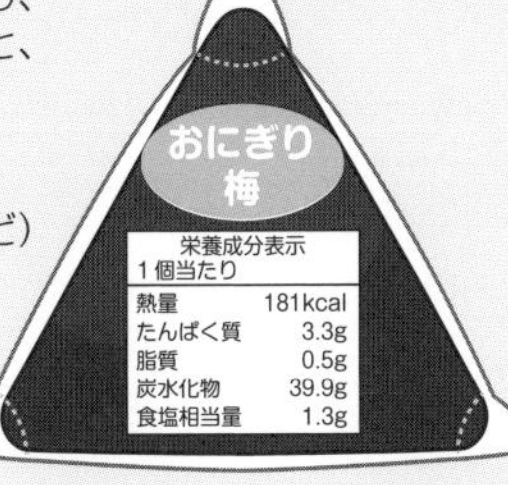

- 日本食品標準成分表は食品から食べられない部分（皮、種、骨など）を取り除いた可食部 100g 当たりの数値が記載されています。

〈可食部当たりの熱量：梅干しの場合〉
100g当たりの熱量96kcal÷100g×配合量当たりの重量10g＝9.6kcal
小数点第一位を四捨五入すると、梅干し 10g 当たりの熱量は10kcal

例は日本食品標準成分表 2015 年版（七訂）による計算です。

② 一定の値、下限値および上限値

栄養成分等の含有量は「一定の値」または「下限値および上限値」で表示します。

一定の値

食品表示基準で定められた方法※1で得られた値が、表示された値を基準として許容差の範囲内※2にある必要がある

たとえば、熱量の許容差の範囲は±20%なので、この例の場合、食品表示基準で定められた方法※1で得られた値が、80〜120kcal の範囲内にある必要がある

下限値および上限値

- 食品表示基準で定められた方法※1で得られた値が、表示された下限値および上限値の範囲内にある必要がある
- 値の幅については、根拠に基づき適切に設定する

たとえば、この例の場合、食品表示基準で定められた方法※1で得られた値が、20〜25g の範囲内にある必要がある

※1 別表第9第3欄に掲げられた方法
※2 別表第9第4欄に掲げられた許容差の範囲

- 含有量の表示は、必ず分析を行わなければならないものではなく、結果として表示された含有量が許容差の範囲内であれば食品表示基準違反にはなりません。
- 「許容差の範囲内にある一定の値」を表示する場合、賞味（消費）期限内でどの商品をとっても、別表第９第３欄に掲げる方法により得られた値が表示値の許容差の範囲内にある必要があります。国や自治体が行う検査等では別表第９第３欄の分析方法が用いられ、その値が許容差の範囲外であった場合は食品表示基準違反となります。
  なお、含有量が極めて少ない製品の場合、ほんのわずかな成分の変動であっても、この範囲からはずれてしまう場合があります。そのため、別表第９第４欄にカッコでただし書きのある栄養成分等（たんぱく質、脂質、炭水化物、糖質、糖類、飽和脂肪酸、コレステロール、ナトリウム、熱量）においては、低含有食品の場合の許容差の範囲が設定されています。

③ 合理的な推定により得られた一定の値

表示された一定の値が、許容差の範囲を超える可能性がある場合、「合理的な推定により得られた一定の値」として表示することができます。「合理的な推定により得られた一定の値」を表示する場合、次の①・②が必要です。

① 合理的な推定により得られた値である表示

- 表示された値が食品表示基準で定められた方法によって得られた値とは一致しない可能性があることを示す表示が必要となる。この表示は、次のア、イいずれかの文言を含む必要があり、栄養成分表示に近接した場所に表示する
  - ア「推定値」
  - イ「この表示値は、目安です。」
- 消費者への的確な情報提供を行う観点から、たとえば下記例のように、表示値の設定根拠等を追記することは差し支えない
  - （例）日本食品標準成分表○○○○年版（○訂）の計算による推定値
  - サンプル品分析による推定値　など

② 根拠資料の保管

表示された値の設定の根拠資料を保管しなければならない

- 下記の場合、「合理的な推定により得られた一定の値」の表示はできません。
  - 栄養成分の補給ができる旨の表示、栄養成分または熱量の適切な摂取ができる旨の表示をする場合（生鮮食品の場合、強調する栄養成分以外の表示する栄養成分は合理的な推定により得られた一定の値の表示が可能）
  - 糖類を添加していない旨の表示またはナトリウム塩を添加していない旨の表示をする場合
  - 栄養機能食品
  - 特定保健用食品
  - 機能性表示食品（ただし、生鮮食品を除く）

4 栄養強調表示

栄養強調表示とは、欠乏または過剰摂取によって人びとの健康に影響を与える栄養成分等について、補給や適切な摂取ができるという旨を強調して表示することです。

1 栄養強調表示の分類

栄養強調表示

- 補給ができる旨の表示（栄養成分の量が多いことを強調）
- 適切な摂取ができる旨の表示（栄養成分の量または熱量が少ないことを強調）
- 添加していない旨の表示（無添加を強調）

強調表示の種類	高い旨	含む旨	強化された旨	含まない旨	低い旨	低減された旨	無添加強調表示
	絶対表示		相対表示	絶対表示		相対表示	
栄養強調表示に関する規定	別表第12第２欄に掲げる基準値以上	別表第12第３欄に掲げる基準値以上	•比較対象食品との絶対差が別表第12第４欄に掲げる基準値以上 •25%以上の相対差（たんぱく質および食物繊維のみ）	別表第13第２欄に掲げる基準値未満	別表第13第３欄に掲げる基準値以下	•比較対象食品との絶対差が別表第13第４欄に掲げる基準値以上 •25%以上の相対差（ただし、みそは15%、しょうゆは20%）	通知に定められた一定の要件を満たすこと（20、21頁参照）
表現例	高○○ △△豊富 ××たっぷり	○○含有 △△源 ××入り	○○30%アップ △△２倍	無○○ △△ゼロ ノン××	低○○ △△控えめ ××ライト	○○30%カット △△10gオフ ××ハーフ	○○無添加 △△不使用
該当する栄養成分等	たんぱく質、食物繊維、亜鉛、カリウム、カルシウム、鉄、銅、マグネシウム、ナイアシン、パントテン酸、ビオチン、ビタミンA、ビタミンB_1、ビタミンB_2、ビタミンB_6、ビタミンB_{12}、ビタミンC、ビタミンD、ビタミンE、ビタミンK、葉酸 （別表第12に掲げる栄養成分）			熱量、脂質、飽和脂肪酸、コレステロール、糖類、ナトリウム （別表第13に掲げる栄養成分等）			糖類、 ナトリウム塩

- 絶対表示：栄養成分の量が多いことや、栄養成分の量や熱量が少ないことを強調する表示
- 相対表示：他の同種の食品と比較して栄養成分の量や熱量が多い（少ない）ことを強調する表示
- 無添加強調表示：糖類またはナトリウム塩を添加していないことを強調する表示

これらの表示をする場合は栄養強調表示に関する規定を満たす必要があります。

② 絶対表示（高い旨、含む旨・含まない旨、低い旨）

高い旨、含む旨

- 高い旨の表示は、当該栄養成分を強化していなくても、その食品本来の性質として基準を満たしていれば行うことができますが、たとえば、単に「高たんぱく質チーズ」と表示するなど、当該チーズが他のチーズに比べて、たんぱく質が多いという誤解を招くような表示は適当ではありません。この場合、「チーズは高たんぱく質食品です。」というような表示をします。
- 「ビタミンを含む」、「ミネラルたっぷり」のように、ビタミンやミネラルの総称について栄養強調表示を行うと、食品表示基準で規定するすべてのビタミンまたはミネラルについて強調表示の規定が適用されます。一部のビタミンやミネラルについてのみ強調表示の規定を満たしている場合、「ビタミンAを含む」などその栄養成分名のみを表示しましょう。
- 「ビタミンB群を含みます」との表示は、ビタミンB群すべてを指すことから、食品表示基準で規定するビタミンB群すべてにおいて、栄養強調表示の規定を満たす必要があります。

含まない旨、低い旨

- 「ノンシュガー」、「シュガーレス」のような表示は、糖類に係る含まない旨の表示の規定が適用されます。
- 熱量等の低い旨の規定を満たしておらず、単に「ダイエット」、「ライト」等と表示することは、消費者に誤認を与える可能性があることから望ましくありません。

③ 相対表示（強化された旨、低減された旨）

相対表示を行うには、必ず次の２つの事項を強調表示する部分に近接した場所に表示します。

① 比較対象食品を特定するために必要な事項（比較対象食品名）
（例）「自社従来品○○」「日本食品標準成分表○○○○年版（○訂）」「コーヒー飲料標準品」等

- 比較対象食品がまったく同種の食品である場合、比較対象食品名の表示は近接した場所でなくともよい。
- 比較対象食品はまったく同種の食品でなくても、たとえばバターとマーガリンを比較する等も可能だが、次の場合は不適当となる。
  ア．比較対象食品の当該栄養成分が一般流通品と比べて高く、「低減された旨」の表示を行った食品の当該栄養成分が一般流通品と比較して大差ない場合
  イ．比較対象食品の流通がかなり以前に終了している等、事実上比較が不可能な場合

② 強化（低減）された旨を表示する栄養成分の量が、比較対象食品に比べて強化（低減）された量または割合
（例）「○○ｇ増」「○○％プラス」「○○％カット」

相対表示に該当する（しない）場合

- 熱量や栄養成分値に関して「ハーフ」、「２倍」、「１／４」等の表示がなされた場合、相対表示に該当します。
- 比較対象食品名および増加（低減）量または割合を表示せずに、単に「高」、「低」等の表示がされた場合、相対表示ではなく、高い旨や低い旨の表示となります。

食品単位が異なる食品を比較対象食品とする場合

食品単位当たりの使用量が異なる同種の食品を比較対象食品とした場合も、100g（一般に飲用に供する液状の食品の場合は 100ml）当たりでの強化（低減）された量および割合の基準値を満たしたうえで表示します。またその場合、消費者への適切な情報提供の観点から、食品単位当たりの比較である旨を表示するようにします。

	100g当たりの熱量	100g当たりの熱量の低減された量	100g当たりの熱量の低減割合	1杯分の使用量	1杯分当たりの熱量	1杯当たりの熱量の低減割合
当該食品 スティックAココア	225kcal	120kcal	35%減	12g	27kcal	50%減
比較対象食品 スティックBココア	345kcal			16g	55kcal	

熱量が低減された旨を表示できる基準値は、100g当たり 40kcal。
当該食品 A は比較対象食品 B に比べて基準値以上低減されている

熱量が低減された旨を表示できる低減割合の基準値は、100g当たり 25%。
当該食品 A は比較対象食品 B に比べて基準値以上低減されている

100g当たりの低減された量および割合の基準値を満たしているので、熱量が低減された旨の表示が可能

1杯当たりの使用量で比較した場合は、当該食品 A は比較対象食品である B と比べて熱量が半分

低減された量または割合の表示は、食品単位当たりの比較である旨を表示したうえで、その比較割合を表示することも可能

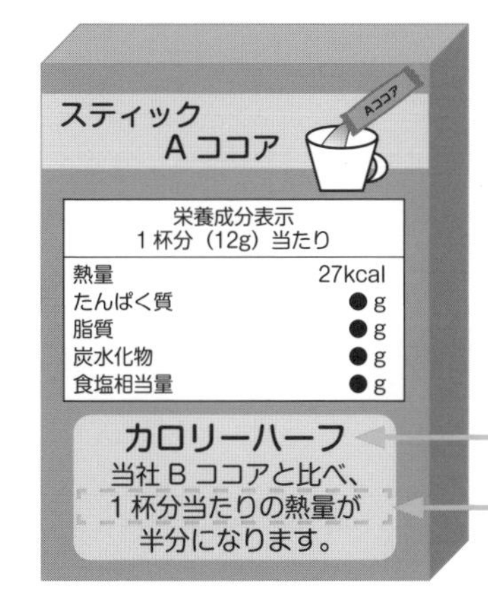

「カロリーハーフ」は、1杯分当たりの使用量で比較した割合である旨を表示

4 無添加強調表示

一般用加工食品において、糖類を添加していない旨の表示、ナトリウム塩を添加していない旨の表示には各々の要件すべてを満たす必要があります。

糖類を添加していない旨の表示

糖類とは、単糖類または二糖類であって、糖アルコールでないものに限ります。次の要件のすべてに該当する場合、「糖類無添加」、「砂糖不使用」等の表示ができます。

1. いかなる糖類も添加していないこと

   （例）ショ糖、ぶどう糖、ハチミツ、コーンシロップ等

2. 添加された糖類に代わる原材料、複合原材料、または添加物を使用していないこと

   - その食品が原材料として糖類を含む原材料を含んでいないこと

     （例）ジャム、ゼリー、甘味の付いたチョコレート、甘味の付いた果実片等

   - その食品が添加糖類の代用として糖類を含む原材料を含んでいないこと

     （例）非還元濃縮果汁、乾燥果実ペースト等

3. 酵素分解その他なんらかの方法により、糖類の含有量が原材料および添加物の量を超えていないこと

   （例）でんぷんを加水分解して糖類を産出させる酵素の使用等

4. 食品単位当たりの糖類の含有量を表示していること

ナトリウム塩を添加していない旨の表示

次の要件のすべてに該当する場合、「食塩無添加」等の表示ができます。

1. いかなるナトリウム塩も添加していないこと
   （例）塩化ナトリウム、リン酸三ナトリウム等
   ただし、食塩以外のナトリウム塩を技術的目的で添加する場合で、ナトリウムの含有量が食品 100g 当たり 120mg（100ml 当たりも同様）以下であるときは、この限りでない
2. 添加されたナトリウム塩に代わる原材料（複合原材料を含む）または添加物を使用していないこと
   （例）ウスターソース、ピクルス、ペパローニ、しょうゆ、塩蔵魚等

5 栄養強調表示をする場合の表示値

表示値の種類は 14～15 頁、表示値を求める方法は 25～27 頁（別表第９）を参照してください。

栄養成分の補給ができる旨および栄養成分または熱量の適切な摂取ができる旨の表示値

	一般用加工食品	
	強調したい栄養成分および熱量	その他の表示する栄養成分および熱量
表示値の種類	許容差の範囲内にある一定の値または、下限値および上限値で表示する （合理的な推定により得られた一定の値は不可）	
表示値を求める方法	必ず別表第９第３欄に掲げる方法で得られた値を表示する	別表第９第３欄に掲げる方法で得られた値以外も可能

糖類を添加していない旨またはナトリウム塩を添加していない旨の表示値

	糖類を添加していない旨またはナトリウム塩を添加していない旨の表示
表示値の種類	許容差の範囲内にある一定の値または、下限値および上限値で表示する （合理的な推定により得られた一定の値は不可）
表示値を求める方法	別表第９第３欄に掲げる方法で得られた値以外も可能

- 栄養強調表示をする場合、「合理的な推定により得られた一定の値」（15頁参照）による表示はできません（一般用生鮮食品において、栄養強調表示をする成分以外の熱量および栄養成分は除く）。
- 栄養強調表示のうち、補給ができる旨（または適切な摂取ができる旨）を強調する栄養成分の量および熱量については、別表第９第３欄に定められた方法によって得られた値を表示します。
- 表示した一定の値が別表第９第３欄に掲げる方法によって得られた同表第４欄に掲げる許容差の範囲内であっても、補給ができる旨および適切な摂取ができる旨の表示における基準値を満たさない場合、食品表示基準違反となります。

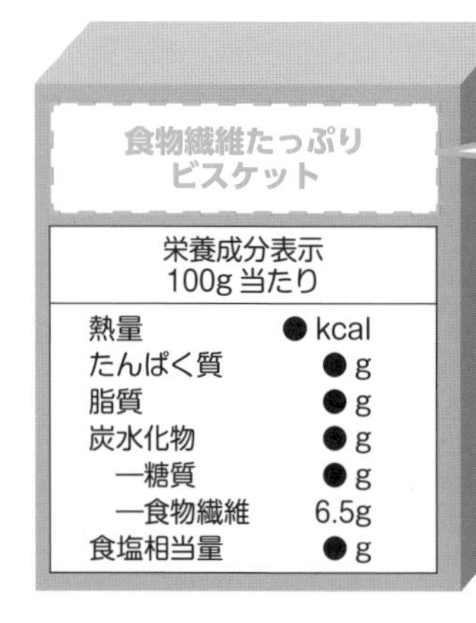

食物繊維の高い旨の表示の基準値は６g／100g以上
(別表第 12第２欄より)

別ロットで
分析をしたら、
食物繊維の量は
5.5g／100g だった

基準値を
下回っているので
食物繊維の高い旨を
表示できない

許容差の範囲内にある一定の値を表示しているが、強調表示の規定を満たしていないため、食品表示基準違反となる

6 栄養強調表示の留意点

- 食品表示基準を満たしていないにもかかわらず、文字の色や大きさ等によって目立たせた表示をすることはさけましょう。
- 高い、低いに言及せずに栄養成分名のみ目立たせて表示するものは、栄養強調表示の規定は適用されません。消費者に誤認を与えないような表示をしましょう。
- 販売時に栄養強調表示の規定を満たすものであっても、摂取時に当該規定を満たさなくなる食品に強調表示することは望ましくありません。

原材料やセットを構成する食品について栄養強調表示をする場合

① 原材料について

最終製品についても栄養強調表示の規定を満たしていることが望ましいとされています。たとえば、最終製品中の含有量があまりに低いのにもかかわらず、原材料についてのみ高い旨または含む旨の表示をすることは適当ではありません。

② セットを構成する食品について

セットを構成する食品について、個々のものを栄養強調表示する（たとえば、「30%塩分カットのめんつゆ使用」等）ことは可能ですが、その場合はセット全体および栄養強調表示をした個々の食品について栄養成分表示が必要です。

ドレッシングを含めたサラダ全体の栄養成分表示と、栄養強調表示したドレッシングの栄養成分表示が必要

熱量の低い旨の基準値（100g当たり40kcal）以下を満たす必要がある

一部に栄養強調表示をしている（低カロリードレッシング）

低カロリードレッシング付きサラダの栄養成分表示（例）

サラダ（ドレッシングを含む）

栄養成分表示 （1包装当たり）	
エネルギー	● kcal
たんぱく質	● g
脂質	● g
炭水化物	● g
食塩相当量	● g

低カロリードレッシングのみ

栄養成分表示 （10ml当たり）	
エネルギー	● kcal
たんぱく質	● g
脂質	● g
炭水化物	● g
食塩相当量	● g

栄養強調表示の規定がない場合

栄養強調表示の規定がない成分について栄養強調表示をする場合、科学的根拠に基づき、販売者の責任において表示します。

① 別表第９に掲げられた栄養成分で、栄養強調表示の規定がない栄養成分を強調する場合

栄養成分表示の枠内に当該栄養成分の量を表示しなければなりません。

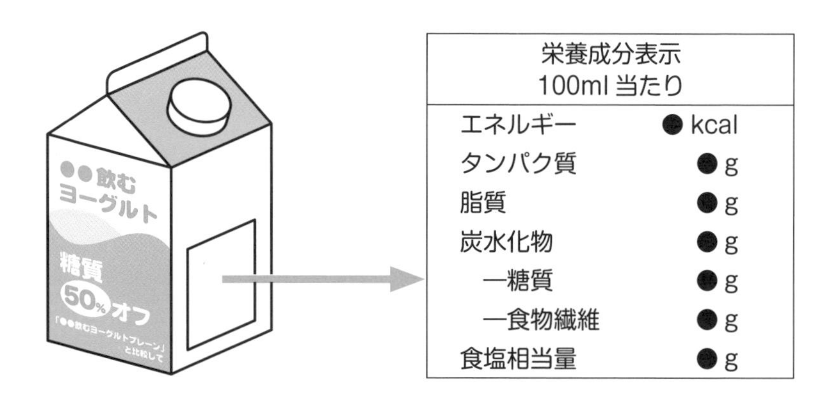

栄養成分表示 100ml 当たり	
エネルギー	● kcal
タンパク質	● g
脂質	● g
炭水化物	● g
一糖質	● g
一食物繊維	● g
食塩相当量	● g

② 別表第９に掲げられていない成分（ポリフェノール、カテキン、オリゴ糖、リコピンなど）を強調する場合

栄養成分表示と区別して、栄養成分表示に近接した箇所に表示することが望ましいとされています（栄養成分表示枠内に、別表第９に掲げられていない成分を表示してはいけません）。

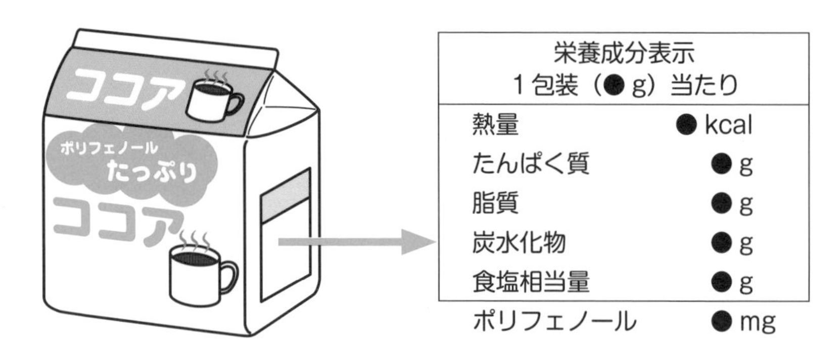

栄養成分表示 １包装（● g）当たり	
熱量	● kcal
たんぱく質	● g
脂質	● g
炭水化物	● g
食塩相当量	● g

ポリフェノール	● mg

食品表示基準の別表第９、12、13

【別表第９】食品表示基準に規定する栄養成分等・表示単位・測定法・許容差の範囲・ゼロと表示できる量

第１欄	第２欄	第３欄	第４欄	第５欄
栄養成分及び熱量	表示の単位	測定及び算出の方法	許容差の範囲	０と表示することができる量
たんぱく質	g	窒素定量換算法	±20%（ただし、当該食品100g当たり（清涼飲料水等にあっては、100ml当たり）のたんぱく質の量が2.5g未満の場合は±0.5g）	0.5g
脂質	g	エーテル抽出法、クロロホルム・メタノール混液抽出法、ゲルベル法、酸分解法又はレーゼゴットリーブ法	±20%（ただし、当該食品100g当たり（清涼飲料水等にあっては、100ml当たり）の脂質の量が2.5g未満の場合は±0.5g）	0.5g
飽和脂肪酸	g	ガスクロマトグラフ法	±20%（ただし、当該食品100g当たり（清涼飲料水等にあっては、100ml当たり）の飽和脂肪酸の量が0.5g未満の場合は±0.1g）	0.1g
n-3系脂肪酸	g	ガスクロマトグラフ法	±20%	
n-6系脂肪酸	g	ガスクロマトグラフ法	±20%	
コレステロール	mg	ガスクロマトグラフ法	±20%（ただし、当該食品100g当たり（清涼飲料水等にあっては、100ml当たり）のコレステロールの量が25mg未満の場合は±5mg）	5mg
炭水化物	g	当該食品の質量から、たんぱく質、脂質、灰分及び水分の量を控除して算定すること。この場合において、たんぱく質及び脂質の量にあっては、第１欄の区分に応じ、第３欄に掲げる方法により測定し、灰分及び水分の量にあっては、次に掲げる区分に応じ、次に定める方法により測定すること。 １　灰分　酢酸マグネシウム添加灰化法、直接灰化法又は硫酸添加灰化法 ２　水分　カールフィッシャー法、乾燥助剤法、減圧加熱乾燥法、常圧加熱乾燥法又はプラスチックフィルム法	±20%（ただし、当該食品100g当たり（清涼飲料水等にあっては、100ml当たり）の炭水化物の量が2.5g未満の場合は±0.5g）	0.5g
糖質	g	当該食品の質量から、たんぱく質、脂質、食物繊維、灰分及び水分の量を控除して算定すること。この場合において、たんぱく質、脂質及び食物繊維の量にあっては、第１欄の区分に応じ、第３欄に掲げる方法により測定し、灰分及び水分の量にあっては、炭水化物の項の第３欄の１及び２に掲げる区分に応じ、１及び２に定める方法により測定すること。	±20%（ただし、当該食品100g当たり（清涼飲料水等にあっては、100ml当たり）の糖質の量が2.5g未満の場合は±0.5g）	0.5g

第1欄	第2欄	第3欄	第4欄	第5欄
栄養成分及び熱量	表示の単位	測定及び算出の方法	許容差の範囲	0と表示することができる量
糖類（単糖類又は二糖類であって、糖アルコールでないものに限る。）	g	ガスクロマトグラフ法又は高速液体クロマトグラフ法	± 20%（ただし、当該食品 100g 当たり（清涼飲料水等にあっては、100ml 当たり）の糖類の量が 2.5g 未満の場合は± 0.5g）	0.5g
食物繊維	g	プロスキー法又は高速液体クロマトグラフ法	± 20%	
亜鉛	mg	原子吸光光度法又は誘導結合プラズマ発光分析法	＋ 50%、− 20%	
カリウム	mg	原子吸光光度法又は誘導結合プラズマ発光分析法	＋ 50%、− 20%	
カルシウム	mg	過マンガン酸カリウム容量法、原子吸光光度法又は誘導結合プラズマ発光分析法	＋ 50%、− 20%	
クロム	μg	原子吸光光度法又は誘導結合プラズマ発光分析法	＋ 50%、− 20%	
セレン	μg	蛍光光度法又は原子吸光光度法	＋ 50%、− 20%	
鉄	mg	オルトフェナントロリン吸光光度法、原子吸光光度法又は誘導結合プラズマ発光分析法	＋ 50%、− 20%	
銅	mg	原子吸光光度法又は誘導結合プラズマ発光分析法	＋ 50%、− 20%	
ナトリウム	mg（1,000mg 以上の量を表示する場合にあっては、g を含む。）	原子吸光光度法又は誘導結合プラズマ発光分析法	± 20%（ただし、当該食品 100g 当たり（清涼飲料水等にあっては、100ml 当たり）のナトリウムの量が 25mg 未満の場合は± 5mg）	5mg
マグネシウム	mg	原子吸光光度法又は誘導結合プラズマ発光分析法	＋ 50%、− 20%	
マンガン	mg	原子吸光光度法又は誘導結合プラズマ発光分析法	＋ 50%、− 20%	
モリブデン	μg	誘導結合プラズマ質量分析法又は誘導結合プラズマ発光分析法	＋ 50%、− 20%	
ヨウ素	μg	滴定法又はガスクロマトグラフ法	＋ 50%、− 20%	
リン	mg	バナドモリブデン酸吸光光度法、モリブデンブルー吸光光度法又は誘導結合プラズマ発光分析法	＋ 50%、− 20%	

第１欄	第２欄	第３欄	第４欄	第５欄
栄養成分及び熱量	表示の単位	測定及び算出の方法	許容差の範囲	０と表示することができる量
ナイアシン	mg	高速液体クロマトグラフ法又は微生物学的定量法	＋80%、－20%	
パントテン酸	mg	微生物学的定量法	＋80%、－20%	
ビオチン	μg	微生物学的定量法	＋80%、－20%	
ビタミンA	μg	高速液体クロマトグラフ法又は吸光光度法	＋50%、－20%	
ビタミン B_1	mg	高速液体クロマトグラフ法又はチオクローム法	＋80%、－20%	
ビタミン B_2	mg	高速液体クロマトグラフ法又はルミフラビン法	＋80%、－20%	
ビタミン B_6	mg	微生物学的定量法	＋80%、－20%	
ビタミン B_{12}	μg	微生物学的定量法	＋80%、－20%	
ビタミンC	mg	２，４－ジニトロフェニルヒドラジン法、インドフェノール・キシレン法、高速液体クロマトグラフ法又は酸化還元滴定法	＋80%、－20%	
ビタミンD	μg	高速液体クロマトグラフ法	＋50%、－20%	
ビタミンE	mg	高速液体クロマトグラフ法	＋50%、－20%	
ビタミンK	μg	高速液体クロマトグラフ法	＋50%、－20%	
葉酸	μg	微生物学的定量法	＋80%、－20%	
熱量	kcal	修正アトウォーター法	±20%（ただし、当該食品100g当たり（清涼飲料水等にあっては、100ml当たり）の熱量が25kcal未満の場合は±5kcal）	5kcal

【別表第 12】栄養成分の補給ができる旨の表示の基準値

第 1 欄	第 2 欄		第 3 欄		第 4 欄
栄養成分	高い旨の表示の基準値		含む旨の表示の基準値		強化された旨の表示の基準値
	食品 100g 当たり	100kcal 当たり	食品 100g 当たり	100kcal 当たり	食品 100g 当たり
たんぱく質	16.2g (8.1g)	8.1g	8.1g (4.1g)	4.1g	8.1g (4.1g)
食物繊維	6g (3g)	3g	3g (1.5g)	1.5g	3g (1.5g)
亜鉛	2.64mg (1.32mg)	0.88mg	1.32mg (0.66mg)	0.44mg	0.88mg (0.88mg)
カリウム	840mg (420mg)	280mg	420mg (210mg)	140mg	280mg (280mg)
カルシウム	204mg (102mg)	68mg	102mg (51mg)	34mg	68mg (68mg)
鉄	2.04mg (1.02mg)	0.68mg	1.02mg (0.51mg)	0.34mg	0.68mg (0.68mg)
銅	0.27mg (0.14mg)	0.09mg	0.14mg (0.07mg)	0.05mg	0.09mg (0.09mg)
マグネシウム	96mg (48mg)	32mg	48mg (24mg)	16mg	32mg (32mg)
ナイアシン	3.9mg (1.95mg)	1.3mg	1.95mg (0.98mg)	0.65mg	1.3mg (1.3mg)
パントテン酸	1.44mg (0.72mg)	0.48mg	0.72mg (0.36mg)	0.24mg	0.48mg (0.48mg)
ビオチン	15μg (7.5μg)	5μg	7.5μg (3.8μg)	2.5μg	5μg (5μg)
ビタミン A	231μg (116μg)	77μg	116μg (58μg)	39μg	77μg (77μg)
ビタミン B_1	0.36mg (0.18mg)	0.12mg	0.18mg (0.09mg)	0.06mg	0.12mg (0.12mg)
ビタミン B_2	0.42mg (0.21mg)	0.14mg	0.21mg (0.11mg)	0.07mg	0.14mg (0.14mg)
ビタミン B_6	0.39mg (0.20mg)	0.13mg	0.20mg (0.10mg)	0.07mg	0.13mg (0.13mg)
ビタミン B_{12}	0.72μg (0.36μg)	0.24μg	0.36μg (0.18μg)	0.12μg	0.24μg (0.24μg)
ビタミン C	30mg (15mg)	10mg	15mg (7.5mg)	5mg	10mg (10mg)
ビタミン D	1.65μg (0.83μg)	0.55μg	0.83μg (0.41μg)	0.28μg	0.55μg (0.55μg)
ビタミン E	1.89mg (0.95mg)	0.63mg	0.95mg (0.47mg)	0.32mg	0.63mg (0.63mg)
ビタミン K	45μg (22.5μg)	30μg	22.5μg (11.3μg)	7.5μg	15μg (15μg)
葉酸	72μg (36μg)	24μg	36μg (18μg)	12μg	24μg (24μg)

（ ）内は、一般に飲用に供する液状の食品 100ml 当たりの場合